Blwmp

Yr Wmp o Blwmp

Dwynwen Lloyd Llywelyn

Lluniau Helen Flook

Gomer

i Ioan

Cyhoeddwyd gyntaf yn 2012 gan
Wasg Gomer, Llandysul, Ceredigion, SA44 4JL.
www.gomer.co.uk

ISBN 978 1 84851 553 6

Cyhoeddwyd gyda chefnogaeth Llywodraeth Cymru.

Argraffwyd a rhwymwyd yng Nghymru gan
Wasg Gomer, Llandysul, Ceredigion.

Pennod 1

Dim gair

Efeilliaid oedd Defi a Dewi. Roedden nhw'n edrych yn union yr un peth. Roedden nhw hefyd yn meddwl am yr un pethau ar yr un pryd. Roedd hynny'n beth da, achos roedd Dewi a Defi wedi stopio siarad. Ers pythefnos.

Chwarae gêm peidio siarad oedd y ddau.
Ond doedd neb arall yn gwybod hynny.

Roedd eu mam a'u tad – Gina a Geth –
yn poeni'n ofnadwy amdanyn nhw.

Roedd Geth hyd yn oed wedi mynd â Defi a Dewi at y meddyg. Roedd honno wedi syllu'n fanwl i mewn i'w clustiau a'u cegau, a gofyn iddyn nhw ddweud 'Aaaaaa' (tasg anodd i ddau nad oedd yn siarad!).

Dywedodd y meddyg yn blwmp ac yn blaen nad oedd dim byd yn bod ar yr efeilliaid.

'Byddan nhw'n siarad eto chwap,' meddai.

Ar eu ffordd allan o'r feddygfa, pwy welodd Defi a Dewi ond Aled Jenkins, neu Aled Pengaled, bwli Blwyddyn 6. Syllodd Aled Pengaled ar y ddau gan wneud llygaid tro arnyn nhw. Yna dechreuodd chwyrnu a gwneud ystumiau od.

Dychmygodd Defi a Dewi yr un peth ar
yr un pryd, sef bod Aled Pengaled yn esgus
gafael ym mraich un ohonyn nhw, gan ei
throi a'i thorri yn ei hanner! Felly, dyma'r
ddau'n dilyn eu tad at ddrws y feddygfa mor
gyflym â dau geffyl rasio!

Pennod 2

Diflas, diflas, diflas!

Pan gyrhaeddon nhw adre, roedd Gina, mam Defi a Dewi, wrthi'n paratoi swper – pasta a saws tomato.

'Beth ddwedodd y meddyg 'te?' gofynnodd
Gina. Cododd Defi a Dewi eu hysgwyddau
heb ddweud gair. 'Edrychodd hi yn eich
clustiau chi?' Nodiodd yr efeilliaid eu
pennau. 'A'ch llwnc chi?' Nodio eto.
'Ofynnodd hi pam nad ydych chi'n siarad?'
Yr un ymateb.

'Does dim byd yn bod arnyn nhw, yn ôl y meddyg, ac fe fyddan nhw'n siarad eto chwap!' esboniodd Geth.

'Defi? Dewi? Sdim byd *yn bod*, oes e? Allwch chi ddweud wrth Dad a fi . . .'

Siglodd y bechgyn eu pennau.

'Pam nad ydych chi'n siarad 'te?' Cododd
y bechgyn eu hysgwyddau eto. Dechreuodd
Gina droi cynnwys y sosban yn ffyrnig.

'Reit. Swper. 'Molchi. Wedyn gwely.'

Bwytaodd pawb eu swper mewn tawelwch.
Roedd hyd yn oed Twba, y gath, wedi sylwi
bod rhywbeth yn bod. Trodd hi ar ei sawdl a
phit-phatian allan i'r ardd.

''Molchi. Wedyn gwely,' meddai Geth wrth Defi a Dewi ar ôl iddyn nhw lyncu'r darn olaf o basta. 'Neu fe fyddwch chi wedi blino gormod cyn y gêm bêl-droed fawr nos fory.'

Gwely? Am chwech o'r gloch?! Diflas! Mwy diflas na wynebu Aled Pengaled, hyd yn oed, meddyliodd y ddau. *Wel . . . na . . . efallai ddim mor ddiflas â hynny, ond diflas, diflas, diflas.*

Ond i fyny â'r ddau i'r llofft.

Hyd yn oed ar ôl cau'r llenni, roedd eu stafell yn dal yn llawn golau dydd. *Mae'n rhy olau i fynd i gysgu.* Edrychodd y ddau ar ei gilydd. *Mae'n rhy olau i fynd i'r gwely,* meddyliodd Defi. *Ond mae'n dywyll o dan y gwely,* meddyliodd Dewi! Gwenodd Defi a Dewi ar ei gilydd.

Pennod 3

O dan y gwely

Roedd hi'n dywyll fel bola buwch o dan y gwely. *Fflachlamp fyddai'n syniad da*, meddyliodd Defi. *Fflachlamp*, meddyliodd Dewi. Yna'n sydyn, digwyddodd y peth rhyfeddaf.

'Shwmai 'te?' meddai llais. Am eiliad, meddyliodd Defi fod Dewi wedi difetha'r gêm peidio siarad, a meddyliodd Dewi mai Defi oedd wedi gwneud.

'Chi'n iawn 'te, bois?' gofynnodd y llais
eto. Nid llais Dewi oedd e, na llais Defi.
Trodd y ddau i edrych ar ei gilydd, a dyna
pryd y gwelson nhw fe. Creadur bach blewog,
crwn fel pêl â dau lygad mawr brown a gwên
lyddan ar ei wyneb blewog.
Roedd e'n edrych fel pêl-droed
â gwallt hir, cyrliog, gwyllt.
Roedd ganddo ddwy droed
a dwy fraich a dwy law.

'Dydych chi ddim yn dweud llawer, ydych chi?' meddai'r creadur bach. 'Dwi'n hoffi gwneud ffrindiau newydd . . . yn enwedig os ydyn nhw'n siarad!'

Anghofiodd Defi a Dewi am eu gêm ar unwaith a dechrau holi.

'P . . . pwy wyt ti?' gofynnon nhw.

'Yr Wmp,' atebodd y creadur bach.
'Yr Wmp o Blwmp.'

'Plwmp?' Roedd llygaid Defi a Dewi fel
soseri.

'Ie,' meddai'r Wmp o Blwmp. 'Dwi wedi
dod ar fy ngwyliau i'ch tŷ chi, am newid
bach.' Rhwbiodd yr efeilliaid eu llygaid ac
edrych yn syn eto ar y creadur.

'Oes cwstard gyda chi?' gofynnodd yn sydyn.

'Beth?'

'Cwstard. Dwi bron â llwgu. Cwstard yw fy hoff fwyd i.'

Meddyliodd Defi a Dewi yr un peth ar yr un pryd. *Rhaid i ni ddweud wrth Mam a Dad am Yr Wmp o Blwmp.*

'Fyddwn ni 'nôl nawr,' meddai Defi wrth Yr Wmp o Blwmp.

'Rydyn ni'n mynd i nôl cwstard i ti,' meddai Dewi.

Cripiodd y ddau i lawr y grisiau'n dawel bach. Roedd Mam a Dad yn y lolfa – Mam yn brysur ar y cyfrifiadur, a Dad yn gwneud pos swdocw.

'Mam! Dad! Mae rhywbeth o dan ein gwely!' meddai'r ddau gyda'i gilydd.

Stopiodd y tip-tapian ar y cyfrifiadur.
Stopiodd Geth wneud y swdocw. Edrychodd
Gina a Geth ar ei gilydd, yna ar Defi a Dewi.

'O'r diwedd!' meddai Gina.

'Diolch byth!' meddai Geth.

Pennod 4

Cwmni bach newydd

'Mae rhywbeth o dan y gwely, Dad!'

'Yr Wmp . . .'

'. . . O Blwmp!'

Roedd Gina a Geth wrth eu bodd fod Defi a Dewi'n siarad unwaith eto.

Dywedodd yr efeilliaid wrthyn nhw mai
gêm oedd peidio siarad. Doedd dim byd yn
eu poeni nhw – heblaw efallai Aled Pengaled,
bwli Blwyddyn 6.

Erbyn hynny, roedd Yr Wmp o Blwmp
wedi dod allan o dan y gwely. Aeth i lawr
y grisiau, i'r gegin, ac yna i'r lolfa gan
eistedd ar y soffa i fwyta iogwrt roedd wedi'i
gymryd o'r oergell. *Iym!* meddyliodd.

Dyw e ddim fel cwstard, ond mae e'n flasus iawn! Iym-iym! Llyfodd y tu mewn i'r potyn gan ymestyn ei dafod i'r gwaelod. '*Iym-iym-iym.*' Yn sydyn, sylweddolodd Yr Wmp o Blwmp fod ei drwyn yn sownd yn y potyn iogwrt.

'Aw-aw-awtsh!' meddai gan drio tynnu'i drwyn allan o'r potyn. 'O-o-o-WWWWW!'

Stopiodd y teulu siarad yn sydyn. Edrychodd pawb i gyfeiriad y soffa.

'B . . . beth yw'r bêl-droed flewog 'na . . .
â dau lygad . . . sy'n eistedd ar fy soffa i . . .
ac yn *siarad*?' holodd Geth.

'Beth ar wyneb y ddaear . . ?' holodd
Gina.

Aeth Defi a Dewi i helpu'r Wmp i dynnu'r
potyn oddi ar ei drwyn.

'OWWWW! Diolch yn fawr!' meddai wrth
weld Gina a Geth yn syllu arno.

'Shwmai 'te? Mae tŷ braf iawn 'da chi fan
hyn. Oedd e'n ddrud?'

Triodd Geth siarad, ond ddaeth dim smic
o sŵn o'i ben.

'Oes cwstard 'da chi, os gwelwch yn dda?' gofynnodd Yr Wmp o Blwmp i Gina.

'Ym, beth . . . pwy wyt ti?'

'Fi yw Yr Wmp o Blwmp, a dwi wedi dod yma ar fy ngwyliau!'

Doedd Geth a Gina ddim yn siŵr ai
breuddwydio oedden nhw ai peidio. Erbyn
hyn, roedd yr Wmp o Blwmp wedi gorffen
gêm swdocw Geth, wedi ffeindio'r peiriant
Wii, ac yn paratoi i chwarae tennis.

Am hanner awr wedi wyth, penderfynodd Gina ei bod yn hen bryd i bawb fynd i gysgu. Cafodd Yr Wmp o Blwmp rannu basged gyda Twba'r gath.

'Go dda!' meddai'r Wmp o Blwmp. 'Byddi
di a fi'n fêts whap, Ffatso!' Roedd wyneb
Twba'n dweud y cyfan. 'Twba, nid Ffatso!'
cywirodd Defi a Dewi ef gan chwerthin.

'Nos da, Yr Wmp o Blwmp!' meddai'r efeilliaid yr union 'run pryd.

'Nos da, bois bach!' meddai'r Wmp o Blwmp, gan ddechrau chwyrnu'n braf bron yn syth.

Pennod 5

Pawb ar ras

Y bore wedyn, roedd pawb wedi codi'n hwyr ac yn rhuthro o gwmpas y tŷ yn pacio bagiau, llwytho'r peiriant golchi, llosgi'r tost a gorffen gwaith cartref. Wrth fynd allan drwy'r drws, cofiodd Defi a Dewi, ar yr un pryd, fod angen eu dillad pêl-droed arnyn nhw. Daeth Yr Wmp o Blwmp i helpu.

A dweud y gwir, Yr Wmp o Blwmp ddaeth
o hyd i'r sgidiau pêl-droed a'u rhoi ym mag
yr efeilliaid. Roedd hynny'n dipyn o gamp,
gan fod Yr Wmp o Blwmp yn fach a'r
sgidiau pêl-droed a'r bag yn fawr . . .

. . . mor fawr, yn wir, nes i'r Wmp o
Blwmp gwympo i mewn i'r bag! Cyn iddo
gael cyfle i ddod allan, roedd Geth wedi
cydio yn y bag, cau'r sip a dweud wrth bawb
am frysio i'r car.

'Beth am Yr Wmp o Blwmp?' holodd Defi
a Dewi.

'Gawn ni drafod hwnnw heno,' atebodd
Mam. Ac mewn chwinciad chwannen, roedd
y drws wedi'i gau'n glep a'i gloi. Edrychodd
Twba o'i gwmpas yn syn. *Aaa! Tawelwch o'r
diwedd*, meddyliodd, *hwrê*!

Roedd pawb yn yr ysgol yn gyffro i gyd yn meddwl am y gêm bêl-droed. Roedd un o chwaraewyr gorau tîm pêl-droed Cymru, Gary Hay, am gyflwyno pêl-droed arbennig i'r ysgol cyn y gêm. Pêl-droed ddu oedd hi, a'i lofnod arni mewn aur.

Roedd y stafell newid yn llawn sŵn a
bwrlwm. Wrth i Defi a Dewi wisgo'u crysau,
pwy ddaeth i mewn ond Aled Pengaled.
Gwthiodd heibio nes bod y ddau efaill yn
bwrw'u pennau yn erbyn y wal. Chwarddodd
Aled yn gas.

Daeth Mr Leyshon, yr hyfforddwr, i'r stafell newid i annog pawb i frysio i'r cae gan fod Gary Hay yn aros amdanyn nhw. O dan ei gesail, roedd y bêl-droed ddu. Yn sydyn, canodd ei ffôn boced. 'Arhoswch funud, bydd raid i fi fynd tu allan,' gwaeddodd i mewn i'r ffôn. Ac allan ag e gan adael y bêl ar y fainc.

Defi a Dewi oedd y rhai olaf i adael
y stafell newid. Wrth fynd drwy'r drws,
edrychodd y ddau yn ôl gan feddwl eu bod
wedi gweld rhyw gysgod. Ond anghofiodd
y ddau am hynny wrth redeg allan i ganol
y cyffro.

Welodd neb mo'r bwli yn rhoi'r bêl ddu
â'r sgrifen aur arni ym mag yr efeilliaid.

Neb heblaw . . . pwy, tybed?

Pennod 6

Y gêm fawr

Roedd y tîm yn barod, roedd Gary Hay
yn barod ac roedd y rhieni'n barod. Aeth
Mr Leyshon i nôl y bêl o'r stafell newid,
ond ymhen munud neu ddau, rhuthrodd
allan eto a'i wyneb yn wyn fel y galchen.

'Mae'r bêl . . . ar goll,' meddai. 'Mae pêl Gary Hay wedi diflannu!' Bu tawelwch am funud cyn i'r stori fynd ar led bod rhywun wedi dwyn y bêl ddu arbennig. Yn sydyn, dyma Aled Pengaled yn gweiddi:

'Syr! Syr! Dwi'n gwybod pwy sy wedi dwyn y bêl . . .' Aeth pobman yn ddistaw eto. 'Welais i nhw, syr!'

Rhedodd Aled i'r stafell newid. Mewn chwinciad, daeth allan yn cario bag glas – bag Defi a Dewi.

'Welais i nhw, syr . . . yr efeilliaid . . . yn dwyn y bêl a'i rhoi hi yn y bag yma!' Roedd Defi a Dewi'n teimlo'n sâl. Roedd Geth a Gina yng nghanol y dorf o rieni, hefyd yn teimlo'n sâl. Ond roedd Aled Pengaled yn mwynhau pob eiliad.

Agorodd Aled Pengaled sip y bag yn araf bach. Edrychodd ar Defi a Dewi gan wenu'n slei wrth iddo godi'r bêl allan o'r bag. (Neu dyna beth oedd *e*'n feddwl roedd *e*'n ei chodi!) Cododd y bêl yn uchel, er mwyn i bawb gael ei gweld.

Ond yn sydyn, gwelodd Aled ddau lygad yn syllu arno. Yna clywodd y geiriau: 'Olreit, byti-boi? Bachan, bachan! Rwyt ti wedi gwneud cawdel o bethe nawr!'

Sgrechiodd Aled Pengaled – nid sgrech
fawr ddewr oedd hi, ond sgrech fain fel cath
a'i chwt ar dân. Rhedodd nerth ei draed
o'r cae.

Pennod 7

Llygad barcud

Wedi i'r halibalŵ dawelu, daeth Mr Leyshon o hyd i'r bêl go iawn ym mag neb llai nag Aled Pengaled. Sylweddolodd Mr Leyshon mai hen fwli mawr oedd Aled. Addawodd y byddai'n cadw llygad barcud arno o hyn ymlaen.

Daeth Yr Wmp o Blwmp yn enwog ar unwaith. Roedd pawb am gael tynnu eu lluniau gyda'r creadur bach rhyfedd. Hyd yn oed Gary Hay!

Ar y ffordd adref ar ôl y gêm, eglurodd
Yr Wmp o Blwmp sut y disgynnodd i mewn
i fag yr efeilliaid y bore hwnnw a sut oedd e
wedi gweld Aled yn rhoi'r bêl-droed arbennig
yn y bag.

Esboniodd wedyn sut y llwyddodd i
wthio'r bêl allan o'r bag a'i rhoi ym mag y
bwli, er mwyn dysgu gwers iddo. 'Rwyt ti'n
arwr!' meddai Gina wrtho. Cytunodd pawb.

Cytunodd Yr Wmp o Blwmp hefyd.

'Odw, odw, dwi'n arwr, diolch yn fawr! Nawr 'te, oes cwstard i'w gael yma'n rhywle?'

Stopiodd y teulu yng nghaffi'r Sosban
Saim ar y ffordd adref. Cafodd y plant a'u
rhieni blatiad yr un o sglodion a physgod
i ddathlu. A beth, tybed, gafodd Yr Wmp
o Blwmp? Wel, llond bowlen o gwstard,
wrth gwrs!

Roedd bola Yr Wmp o Blwmp mor llawn
nes iddo chwyrnu cysgu drwy'r nos. Dyma'r
gwyliau gorau roedd e wedi'i gael erioed!

Hefyd yn y gyfres: